Pour Emma,
pour ses week-ends avec moi
S. M.

Graphisme : Dans les villes

ISBN : 978-2-07-065189-4

Numéro d'édition : 249234
Loi n° 49-956 du 16 juillet 1949
sur les publications destinées à la jeunesse
Dépôt légal : mars 2015
Imprimé en Italie par CL Zanardi

Susie Morgenstern

La valise rose

illustré par Serge Bloch

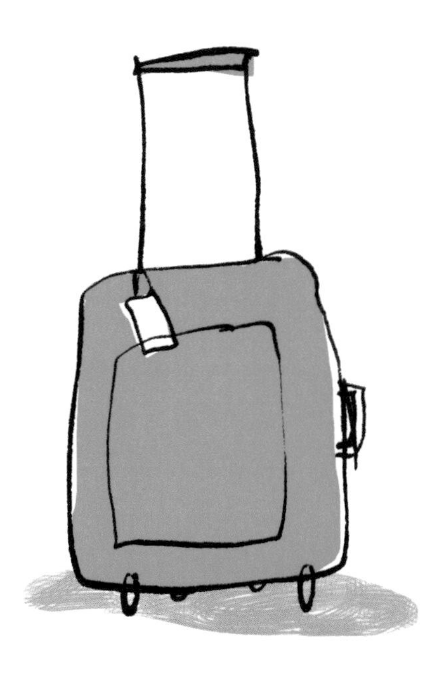

GALLIMARD JEUNESSE

On lui avait apporté des peluches, des mobiles,
des jouets, des grenouillères, un cheval à bascule, et même
une balançoire géante, parfaite pour un bébé de trois kilos,
quatre cent trente-sept grammes. Tout cela était considéré comme
des cadeaux de naissance aussi convenables que bienvenus.

Il y avait des paquets contenant des marques chic et chères
car ce bébé était tant attendu et déjà tant aimé, avec ses dix doigts
de pied et ses cinq doigts à chacune de ses deux mains,
ses cuisses potelées, ses quelques touffes de cheveux et son sourire
aux anges, que chacun voulait lui offrir un cadeau
plus spectaculaire que l'autre.

Alors personne n’a compris quand grand-mère est entrée
avec son cadeau à elle. La maman du bébé a regardé le papa
en roulant les yeux… il a haussé les épaules.
Le bébé lui-même a esquissé un sourire, ou peut-être une grimace.

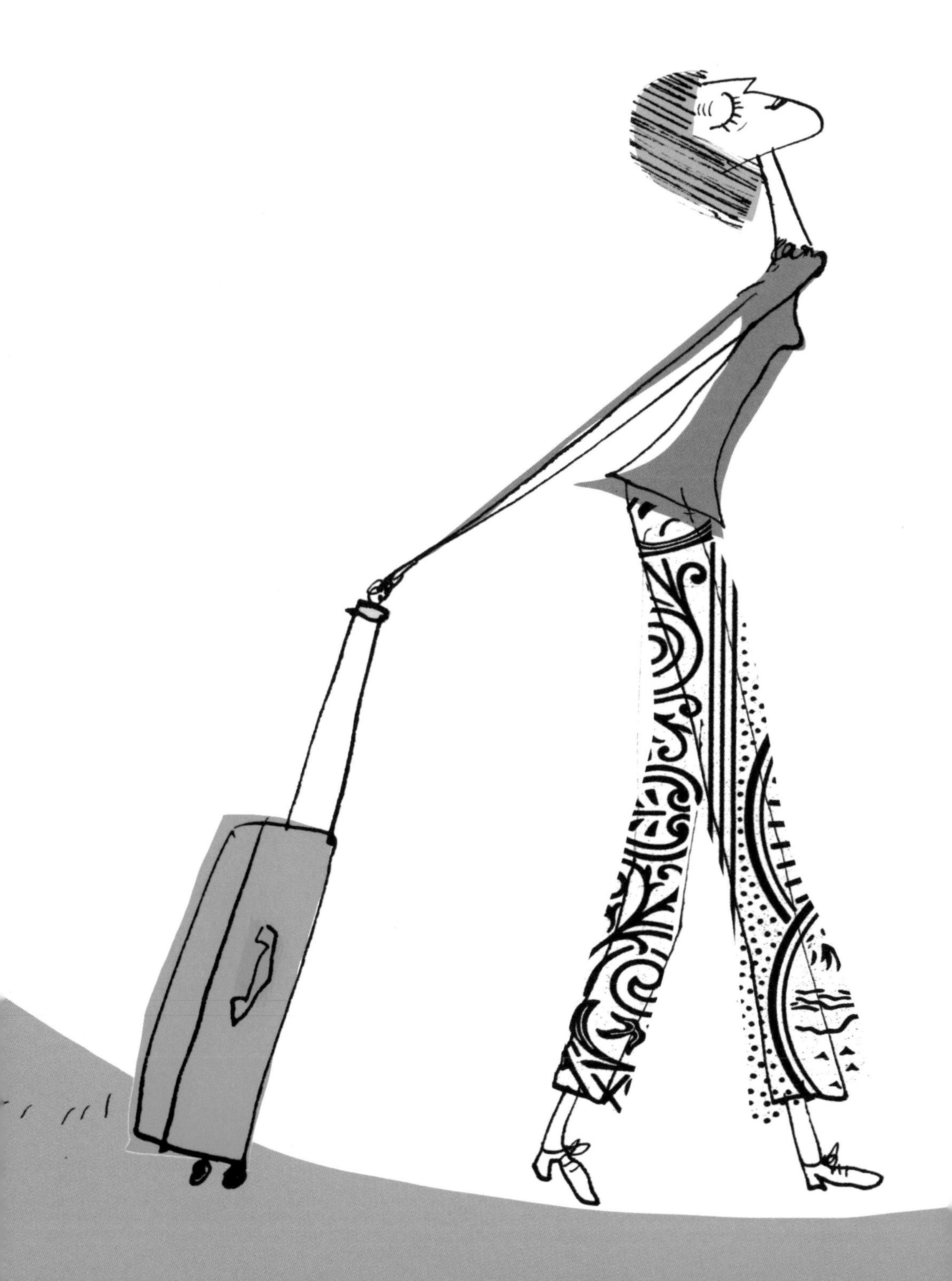

Grand-mère n'avait pas pris la peine de l'emballer dans du joli
papier cadeau, elle est simplement entrée en le traînant derrière elle
comme un petit canard en bois. La couleur, déjà, était un peu étrange.
Qui achète du rose pour un garçon, pas même un rose pâle,
mais un rose qui en jette, un rose criard qui hurle « regarde-moi » ?
On a alors pensé qu'il y avait quelque chose d'utile dedans
mais, non, elle était vide.

– Une valise pour un bébé ! Il va où ? Il ne sait pas encore marcher ! chuchota la maman à son mari.
– C'est assez original ! Une valise est un cadeau très pratique ! Et tu sais que ma mère ne fait jamais les choses comme les autres, j'en suis la preuve vivante !

Bébé Benjamin, lui, tournait toujours la tête en direction de cette tache rose dans sa chambre, il semblait même lui tendre les bras, lui parler en gazouillant. Chaque fois que sa mère rangeait « la monstruosité » dans l'armoire, bébé Benjamin la cherchait, jusqu'à ce que son père la sorte de sa cachette.

Bébé Benjamin était le plus heureux de tous les bébés quand sa grand-mère venait le garder, car elle l'installait carrément dans la valise pour dormir. C'était juste à sa taille ; il avait donc l'impression de revenir dans le ventre de sa maman.
Quand celle-ci rentrait, elle cherchait son bébé partout.
Quelle surprise de le retrouver dans une valise !

— Ta mère est zinzin, se plaignait-elle à son mari, le soir à table.
— Voyons, ma chérie, ce n'est pas si grave.
Ma mère est ma mère. Je n'en ai pas d'autre.
Elle n'est ni échangeable, ni remboursable.
Sa femme se levait sans plus rien dire.

Lorsque bébé Benjamin se mit à marcher à quatre pattes,
il alla tout droit vers ce coffre rose, y fit un lit pour ses peluches,
un garage pour ses camions, un terrain d'atterrissage
pour ses avions et une table pour sa dînette. Il aimait aussi faire
du tam-tam africain, du tambour chinois, du bongo cubain en tapant
avec ses poings et ses pieds de toutes ses forces.

Quand le miracle arriva et qu'il tint sur ses deux jambes, qu'il mit un pied devant l'autre, il tombait, il se relevait en permanence. Alors, il se mit à utiliser la valise comme béquille pour le soutenir. Cela le mit en confiance. Il traînait ainsi sa valise partout dans la maison, au désespoir de sa mère.
Cela faisait rire son père en douce.

Il faisait trois fois le tour comme un coureur du Tour de France, rayant le parquet auquel sa mère tenait tant. C'en était trop.
Elle descendit la valise à la cave.

Bébé Benjamin, grand et costaud, perdit son sourire et son appétit.
La valise était son doudou chéri, un drôle de doudou, mais un doudou quand même. Maintenant qu'il disait quelques mots, il essaya de faire comprendre à sa mère : « Doudou ! »
Elle lui présenta quelques peluches, des chiffons divers, un torchon de cuisine neuf, mais il les rejetait à tour de rôle en répétant : « Doudou ! » Il lui prenait la main et l'amenait au seuil de la cave.
Elle refusait de comprendre.

Son père repêcha le doudou et le remit à sa place
dans la chambre de son bébé.

La valise devint une vraie valise la première fois que Benjamin
fut invité à passer la nuit chez son copain Roman. Il avait peur
d'y aller, de dormir loin de sa maman et de son papa.
Cela dit, c'était un courageux et, avec sa valise, il se sentait plus fort.

La nuit se passa très bien et la valise devint une fidèle compagne de voyage. Il allait souvent chez Roman et Roman venait aussi souvent chez lui.

Avant son entrée à la grande école, sa mère lui acheta un vrai cartable, modèle de luxe, avec des poches multiples, succès garanti. Benjamin ne l'aima pas ! Il transféra toutes ses fournitures dans la valise rose. Sa mère fut contrariée.

C’était ainsi : l’entente n’était pas parfaite entre la mère et la grand-mère. Mais toutes deux débordaient d’affection pour Benjamin.

Ce fut néanmoins un triomphe pour grand-mère quand
son fils l'invita, le premier jour d'école, à les accompagner
lors de ce trajet historique. Benjamin gambadait avec sa valise.
Sa maman contenait sa colère. Son papa faisait ce qu'il pouvait.

Benjamin se révéla un bon élève, un bon ami, un bon fils
et un bonhomme plein d'entrain.
Les moqueries au collège sur la couleur et la forme de son « cartable »
ne le dérangeaient pas du tout. Comme sa grand-mère,
il ne cherchait pas à ressembler à tout le monde, à être invisible.

Au lycée, sa bonne vieille valise le suivit encore, ce qui permit à son père de dire à sa mère :
— Ma mère a tout de même acheté un cadeau de naissance résistant et de qualité.
La valise l'accompagna à la fac aussi et à son premier travail, puis dans son premier appartement et il sortit avec par la porte de la maison où il avait grandi en disant :
— Au revoir, maman. Au revoir, papa.

Mais quand il a fait sa valise de nouveau, pour sa lune de miel, sa femme lui a montré la nouvelle valise qu'on leur avait offerte comme cadeau de mariage en disant d'une façon autoritaire :
— On ne prend pas ton truc rose dans notre hôtel quatre étoiles !
— Elle est comme neuve, protesta Benjamin.
Il échangea un regard avec son père, un autre avec sa grand-mère, qui semblait dire « il faut faire des compromis dans la vie » et il comprit. De temps en temps, il écouterait sa femme et, d'autres fois, elle l'écouterait.

Il quitta sa valise rose
sans la quitter tout à fait.
Il la confia à sa grand-mère.
— Grand-mère, tu peux garder
ma valise chez toi, pour
notre premier bébé ?